De

D0708040

Heksenkwartier
(HHK)

Heksen
Aanleunwoning

tover-
bibliotheek

reupelbos

erweggistan Academie
voor heksenhulpen

veheh

Waanwijswier

Welvarende
Wicca's bank

BANK

De Blauwe Maan
logeerhotel

Wicca's
Heks-het-zelf

sale

horizon

Naar de Andere Kant

Deughniets ~~Mijn~~ Dagboek

MIJN HEKS WIL niet HEKSEN
maar koken

Hiawyn Oram • Sarah Warburton

WAT IK EVEN KWIJT WIL VOOR JE MIJN GEHEIME DAGBOEKEN GAAT LEZEN...

In een notendop: ze zijn GESTOLEN. Het is echt waar! Heksje Wirwar, mijn heks die niet wil heksen, heeft ze uit mijn mand gestolen. Volgens haar ging het zo:

Op een van onze uitstapjes naar de Andere Kant, waar jullie wonen, ontmoette ze een Boekentovenaar (ik heb gehoord dat jullie dat een uitgever noemen, maar ik denk nog steeds dat tovenaar een beter woord is, als je ziet hoe zo iemand steeds maar weer boeken uit het niets laat verschijnen, <u>elke</u> <u>dag</u> <u>van</u> <u>de</u> <u>week</u>).

In ieder geval, deze Boekentovenaar/uitgever wilde dat Wirwar een boek zou schrijven over haar avonturen aan Deze Kant. Natuurlijk had ze daar geen zin in. Ze heeft immers nooit ergens zin in, <u>zeker</u> <u>niet</u> in heksen. Ja, in winkelen en televisie kijken, dat wel. Alles wat een heks juist NIET moet doen! En het ergste is: ik krijg dan van de Geweldig Gewiekste Wicca's* op mijn kop.

De Boekentovenaar smeekte haar (blijkbaar) en bood Wirwar een levenslange voorraad schoenen aan als ze met een boek zou komen.

Dat aanbod kon Wirwar niet laten lopen. Dus kwam ze met een boek: mijn dagboek! Niet één, maar al mijn dagboeken!!!

Toen ik mijn dagboeken schreef, dacht ik natuurlijk niet dat iemand ze ooit zou lezen. Laat staan iemand van de

* de Geweldig Gewiekste Wicca's zijn hier de baas.

Andere Kant, zoals jij. Dus wil ik even iets met je afspreken:

1. Wij zijn van Deze Kant, jij bent van de Andere Kant.
2. Tussen ons loopt de Horizon.
3. Jij kunt ons niet zien aan Deze Kant, want voor jou is de Horizon er altijd pas een dag later. Al loop je duizend manen lang (of langer), je loopt altijd een dag achter.
4. Wij, daarentegen, zien jou wel. Wij kunnen van Deze naar de Andere Kant wanneer we maar willen. Dat komt door de bezemstelen. Bezemstelen hebben geen problemen met Horizonnen waar dan ook. Een bezemsteel (met of zonder ons erop) vliegt zonder probleem van Deze naar de Andere Kant en weer terug.

En dat is maar goed ook! Een belangrijke taak van heksen van Deze Kant is kinderen van de Andere Kant te beheksen! Het is misschien wel DE belangrijkste taak! (Lees ook de 'Wat een heks tot een echte heks maakt'-lijst achterin.)

Aan de andere kant staat er nergens, maar dan ook nergens, dat een heks naar de Andere Kant moet gaan om vriendschap te sluiten en te doen wat jij doet, maar dat is wel wat Wirwar doet!

En dat is nu net mijn probleem: ik ben de heksenhulp van een heks die niet wil heksen. Dat heb ik allemaal beschreven in mijn dagboeken. Mijn leven in het kort: alsof je je hand steekt in een zak vol stekelvarkens!

Daarom vraag ik je: als Wirwar probeert vriendjes met jou te worden, stuur haar dan als de wiedeweerga terug naar Deze Kant!

Alvast bedankt,

Deughniet Vloecksoecker Ramses R. xxx

Dit Dagboek is van:

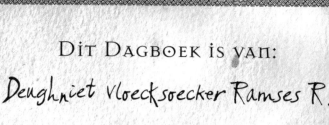

Deughniet vloecksoecker Ramses R.

DEUGHNIET, DR als je haast hebt.

Adres:
Dertien Schoorstenen
Oost Kollendam, Deze Kant
Alziendoog 331 N tot WW

Telefoon:
77+3-5+1-7

Dichtstbijzijnde Andere Kantse telefoon:
Blauwe Zwerkweg
N tot ZO achter de horizon

Verjaardag:
Winderige dag 23ste Miauwmaand

OPLEIDING:
De Verweggistan Academie voor Heksenhulpen
12-manen stage bij de
Geweldig Gewiekste Wicca Toos Goocheldoos

DIPLOMA'S:
Heksenhulp met vergunning

HUIDIGE BAAN:
Zevenjarig contract met Heksje Wironi Warwara,
Wirwar, HW als je haast hebt.

HOBBY'S:
Katness, schermutselen, talen.

NAASTE FAMILIE:
Oom Peleus (gepensioneerde heksenhulp)
Vochtige Tochtige Bungalow
Stuntvliegende Theepottenstraat
Waanwijswier

Lief dagboek,

Heksje Wirwar was in haar kast op zoek naar een geschikte hoed; ze heeft er heel wat. Ze probeerde ze een voor een, en wat dacht je?

Natuurlijk, GEEN EEN die ze mooi vond.

'Deze past helemaal niet bij me, vind je ook niet?' En ze gooide hem met een enorme zwaai het raam uit.

Of: 'Deze paste altijd wel bij me, maar niet meer bij de nieuwe ik!'

Of: 'Als ik deze opzet, lijkt mijn neus zo groot, eigenlijk zou ik de hoedenmaker in een kikker moeten veranderen!'.

Of: 'Hoe heb ik dit OOIT kunnen kopen, mijn ogen zeker vergeten. Thuis in het ogenpotje laten zitten?'

Het resultaat is dat ze zich nu aan het omkleden is. Ze wil naar de Andere Kant om te winkelen. Een hoed kopen die bij haar past zoals ze nu is. Eentje die niet is gemaakt door een hoedenmaker met de smaak van een puistige pad of de stijl van een uitgeputte werkbij (dat zijn haar woorden, niet de mijne!)

Ik ben de tel kwijt van de keren dat ze riep: 'O, dat ziet er arrejakkes uit!'  Ze kleedt zich nu voor de

DERTIENDE keer om!

Ik klopte op de deur en zei: 'Doe toch wat iedere heks doet, draag zwart en maak jezelf onzichtbaar als we gaan winkelen aan de Andere Kant!'

8

'Ik wil schitteren, DR,' antwoordde ze.
'Ik wil meedoen met de nieuwste mode. Er
uitzien zoals ZIJ. Ben jij al klaar? Doe eens
een flitsende halsband om, met een

Andere Kantse naam erop.'

Ja hoor, dat had ik weer. Ze wil
dat ik met haar meega naar de Andere Kant
om te winkelen. Alsof ik hier niet genoeg te
doen heb: bezems snoeien, spinnen vangen.
Kijk eens om je heen. Ze heeft weer een
poetsaanval gehad, nergens ook maar een
spinnenweb te bekennen.

POTVERKIKKERME.

Er klopt iemand – of aan het
geluid te horen een heel leger –
op de deur.

Ik kan maar beter even
kijken wie dat zijn.

Lief dagboek,

Alle vier de Geweldig Gewiekste Wicca's stonden voor de deur.

Ze hadden alle vier een hoed in hun handen die Wirwar uit het raam had gesmeten. Ze waren bijna van hun bezemsteel geslingerd door die hoeden. NU WILDEN ZE EVEN EEN HEKSIG WOORDJE WISSELEN OVER

'HET RISICO VAN RONDVLIEGENDE HOEDEN.'

Ik zei nog dat Wirwar niet gestoord mocht worden. Maar ze trokken zich er niets van aan en stormden zo naar binnen. Ze parkeerden hun billen op de bank en wilden wachten tot Wirwar wel tijd voor hen had.

Om het geluid van Wirwars gemopper over haar kleding te overstemmen, zette ik de tv lekker hard aan.

Er was een programma over prehistorische dieren van de Andere Kant. De wicca's zaten aan de buis gekluisterd. Ze foeterden en toeterden. Ze kletsten en zwetsten. Ze keken ernaar alsof ze nog nooit zoiets gezien hadden.

En wat bleek? Zoiets hadden ze ook nog nooit gezien. Geen Ander Kantse tv te bekennen in het Hogerop Heksenkwartier!

Maar nu ze die van ons hadden gezien – hun ogen rolden haast uit hun

kassen –

wilden ze weten waar je die

kon krijgen.

Ik was stomverbaasd (ik dacht dat iedereen dat wel wist). Ik stotterde: 'Simpel, weledele Wicca's. Ga naar het Hexma warenhuis aan de Andere Kant en koop er een met je Koop-vooral-te-veel-voordeelkaart. Sluit hem aan, druk op een paar toetsen en hocus pocus klaar is de heks. Makkelijker dan heksen. Misschien is het wel toveren, maar dan de Andere Kantse versie ervan.

Ze waren helemaal blij. 'Goed, DR,' zei Magia. 'Vannacht, klokslag middernacht, breng jij ons er hocus pocus eentje. In ruil daarvoor zullen wij door de heksenklauwen zien dat Wirwar deze maan al weer veel te veel heeft uitgegeven. En nu ook niet langer op haar wachten om eens een heksig woordje met haar te wisselen.'

Ze stapten op hun bezemsteel en zoefff, weg waren ze.

Voor de verandering zwaaiden ze vol lof naar me!!

Wirwar kwam eindelijk uit haar kamer. Ze zag eruit als een wolk bosviooltjes op witte stelten. Ze was helemaal <u>NIET</u> blij toen ik haar vertelde wat er was gebeurd.

'Nu moeten we wel met de auto, anders krijgen we hun lawaaidoos met plaatjes niet mee. En je weet, ik haat parkeren aan de Andere Kant: of je moet parkeren in een diepe garage of ze zetten een gele klem op je wiel.'

Ik beloofde dat ik een goed
parkeerplekje zou zoeken, op
een dak in de buurt van de
winkels.

Maar goed, ik moet nu gaan. Ze zit al
in de auto, te toeteren waar ik blijf.

Alsof ik doof ben of zo.

Na middernacht op een
Werk-je-in-het-zweet-dag.

Lief dagboek,

Ik ben net terug, heb de Geweldig Gewiekste
Wicca's hun Andere Kantse tv gebracht. Ik heb
hem niet hocus pocus aangesloten. Daar
had ik een goede reden voor, maar
dat vertel ik je zo. Ik ga even
door waar ik was opgehouden.

We waren in een vloek en een
scheet in de stad

(Wirwars auto heeft een
extra versnelling, de vliegversnelling!)

en ik vond een parkeerplekje.

Vlak bij de Hexma.

Wirwar zei dat ik op jacht moest naar een tv voor de Wicca's, zij wilde heksenrap naar de hoedenafdeling.

Ik smeekte haar mee te komen want zij van de Andere Kant snappen niets van heksenhulpen die de Koop-vooral-te-veel-voordeelkaart van hun heks gebruiken om een tv te betalen. (Ze schrikken zich een rotje en schakelen onmiddellijk de kattenvanger in. En volgens mijn vriend Gribus, die dat ooit is overkomen, brengen ze je dan naar een asiel. Brrr, dat is echt geen pretje!)

Uiteindelijk beloofde ze mee te gaan, maar PAS als we de perfecte 'Past bij me zoals ik nu ben-hoed' hadden gevonden.

Toen we die eindelijk hadden gekocht, ging de winkel al haast sluiten. Ze had zo veel uitgegeven dat we bijna niet meer konden betalen met de Koop-vooral-te-veel-voordeelkaart. We moesten dus wel een tv kopen die was af<u>geprijsd</u>.

(Waarschijnlijk omdat hij er zo lelijk uitzag, daar wil niemand dag en nacht naar kijken!)

Ik wist
niet of de Wicca's
er wel zo blij mee
zouden zijn, maar Wirwar
kon dat niets schelen.
'Ze zijn zelf ook lelijk' zei ze stralend.
'Past goed bij elkaar!'
Ze liet de tv naar haar auto dragen door
iemand van de Hexma. Die was er blijkbaar
niet aan gewend dat er auto's op het dak
geparkeerd werden. Hij keek nerveus om zich

'Ik wist niet,' zei hij mompelend en strompelend, 'dat je een auto op dit dak kon parkeren.'

Wirwar lachte liefjes en zei: 'Zo zie je maar, zo leer je iedere dag weer iets.' Ze beloonde hem voor zijn gesjouw met een van de hoeden, een lentegroene, uit haar uitpuilende hoedendoos. Hij wist niet hoe hard hij weg moest rennen. Hij riep:

'Knotsknettergek!'

Maar hier begint het 'werk je in het zweet'-deel van de Andere Kantse hoed-en-tv-koopexpeditie.

Wirwar besloot dat ze honger had.

'Ik moet NU iets eten,
als de bliksem,'

brulde ze over het dak en naar allen die uit
een dakraam gluurden.

Terwijl ze bijna van het dak
viel, zag ze opeens
waar ze wilde
gaan eten.

Het was in de straat beneden ons en het heette

GLITZERIA.

De buitenkant was zwart en blauw geschilderd en bezaaid met zilveren sterren, als een heldere sterrennacht.

'Daar, in die tent gaan we eten, DR. Een sterrentent! Pak onze opklap-bezemsteel' — die ligt altijd in de kofferbak — 'en laat ons onze honger gaan stillen, NU!'

Ik probeerde haar om te praten tijdens het vliegen. Ik vertelde dat heksen nooit aan de Andere Kant eten, daar smaakt immers alles naar drakenkwijl.

'Oude heksensprookjes!' snauwde ze.

28

En voordat ik ook nog maar iets kon zeggen, landde ze. Ze pakte me op en klemde me onder haar arm, zoals Andere Kanters doen met hun paraplu,

en stormde de Glitzeria binnen.

Sorry dagboek, ☽

Ik ben in slaap gevallen en droomde dat ik door spionnen van de Geweldig Gewiekste Wicca's achterna werd gezeten,

buitenaardse Wicca's op Raketpadden.

Ik viel van mijn bezemsteel

en dreigde EEN van mijn

negen levens te verliezen.

Wat een griezelig dier in het donker, zo'n nachtmerrie.

Maar waar was ik gebleven?

O ja, in een dagmerrie, in de Glitzeria met Wirwar. Ze vroeg naar de beste tafel onder de geschilderde maan aan de geschilderde hemel.

31

Het was zo stil toen wij naar onze tafel liepen, dat je een ster kon horen vallen.

De Andere Kanter die ons naar ons tafeltje bracht was vriendelijk, maar hij had zijn wenkbrauwen van verbazing hoog opgetrokken.

Hij schoof een stoel achteruit en liet Wirwar plaats nemen. Ze bedankte hem en gaf hem haar opklap-bezemsteel, die hij in de paraplubak zette.

Toen zei ze: 'En een stoel graag voor deze tijger hier!' Ze bedoelde mij!

De Andere Kanter slikte.

Mevrouw, hier zitten huisdieren op de grond.'

'Maar dit is geen huisdier! Hij is mijn assistent! Hij moet mij de eetlijst voorlezen,' zei Wirwar. 'Zet hem maar naast mij en geef hem ook zo'n snuitlapje op zijn schoot.'

De wenkbrauwen van de Andere Kanter schoten tegen het plafond.

Maar hij gehoorzaamde haar wel en ik kwam op een stoel te zitten. Ik deed erg mijn best bij het voorlezen van de eetlijst. (Zij heeft niet op de Heksenhulp Academie gezeten en kan dus niet zo goed Andere Kants lezen)

Ik fluisterde zachtjes om maar geen aandacht te trekken. Maar helaas, dat mislukte. Iedereen keek naar ons. Stel je een Heksenkring voor waar iemand voorstelt nooit meer kinderen in kikkers om te toveren, zo keken ze!

In ieder geval is HW gek op aandacht, ze genoot.

Met luide stem en een brede glimlach
bestelde zij vijf gerechten
(alleen omdat ze de
namen ervan zo mooi
vond klinken). Ze
vertelde meneer
Wenkbrauw dat hij ze

allemaal

tegelijk

kon brengen.

Ik kon geen keuze maken en vroeg om een kop smeerwortelthee, maar dat hadden ze natuurlijk niet. Dus bestelde ik maar een rolmops, zonder zure bom. Mijn leven was al zuur genoeg.

Toen alles op tafel stond, begon Heksje Wirwar te proeven. Ze nam overal een hap van en haar lachjes en glimlachjes veranderden in grimassen en fronsen. Ze verschoot van kleur, ze werd wit, groen en paars. Dat is meestal geen goed teken, dat betekent dat er een heuse heksenstuip aankomt. Waarom juist nu? Nu ik even helemaal niet wilde dat ze een heks was. Even geen heksenstuip, alsjeblieft!

Helaas, mijn wens werd niet vervuld.

De aanval was niet meer te stoppen.

'Hé, jij daar, met die wenkbrauwen,' gilde ze. 'De Oude Wijze Wicca's hadden gelijk, dit smaakt nog erger dan drakenkwijl of kikkersnot. Wie heeft dit goedje gebrouwen? Zeg op, waar is die kikkersnotkok? Breng me naar hem toe, nu, of ik...'

Vroege ochtend van een gastoptreden-dag

Lief dagboek,

Sorry, ik ben weer eens in slaap gevallen, midden in een zin nog wel.

Ik heb in een ruk doorgeslapen tot nu, de vroege ochtend. Ik moet snel de kikkers gaan voeren en dagkoekoeksbloempannen-koeken bakken voor HW's ontbijt. Daarna moeten we ons haastje repje klaar maken voor een gastoptreden in de Andere Kantse STERRENKOKS KOOKSHOW!

De kikkers kloppen op het raam, maar ik doe net of ik ze niet hoor. Ik ga verder waar ik was gebleven, anders mis je een heel stuk. Waar was ik gebleven? O ja.

In de Glitzeria, HW vroeg naar de kikkersnotkok.

Ze schoof meneer Wenkbrauw zo aan de kant en stuiterde recht op de keuken af. Ik zat haar op de hielen maar was niet snel genoeg om haar tegen te houden.

Helaas.

In de keuken begon ze tegen de kok te brullen. De kok wist niet wat hem overkwam.

'KIKKERSNOT EN DRAKENKWIJL,' gilde ze.

'IS DAT ALLES WAT JE KUNT KOKEN? MIJN KAT KOOKT ZELFS NOG BETER!'

De kok, duidelijk niet de chefkok, riep er iemand bij. Dat was wel de chefkok!

HIJ LACHTE!

'Nou, mevrouw,' zei hij, 'als uw kat beter kan koken, dan zou ik zeggen, laat maar zien!'

Met een diepe buiging gaf hij me een wit schort en een koksmuts.

'EN WAT GAAT DE KAT VOOR ONS KOKEN?'

HW antwoordde al voor ik dat kon doen.

(Hebben jullie daar ook zo'n hekel aan als iemand dat doet?)

'Hij maakt de allerlekkerste Slijmballen. Dat is wat ze zeggen, ik eet ze niet, te veel zoete magie. Maar zijn Stoofpot van Brandnetel met een Salade van Naaldboomnaalden, mmm, heerlijk. Dat zijn verhekst lekkere gerechten. Die zou ik elke dag wel willen eten.

Zet hem op, DR...

eh...

ik bedoel Tijger!'

Ik keek om me heen,
op zoek naar ingrediënten.
Mijn snor ging spontaan
hangen, meestal geen goed
teken. Dat betekent problemen (al
wist ik nog niet half hoeveel).

Heel eventjes, een seconde of zo,
maakte mijn hart een sprongetje.

De chefkok zei dat ze geen brandnetel of
naaldbomennaalden hadden.

Maar HW liet me al snel weer op aarde
neerploffen. Ze zei: 'Zijn andere
sterrenrecept — je weet niet wat je mist
tot je het hebt geproefd — zijn
Kamperfoelieburgers met
Scheerjewegbramen.
Tongstrelend,
hoofdbrekend, zo
lekker, en vooral
hongerverjagend.'

De chefkok zei
dat ze ook daar de
ingrediënten niet voor
hadden, en mijn hart
maakte weer een sprongetje.

Maar niet voor lang.

Wirwar eiste dat hij vertelde wat ze dan wel in huis hadden, in dat hol van hem, dat hij ook nog een keuken durfde te noemen.

Toen de chefkok alles opsomde, brulde ze:

'GEEN WONDER DAT JE ALLEEN MAAR KIKKERSNOT EN SLAKKENSLIJM KUNT KOKEN! DAT STELT NIETS VOOR!'

Ze stuurde de chefkok en zijn koks zonder pardon weg, ze moesten ons even met rust laten.

En toen — ik barst van trots — deed ze iets wat alleen een Gewiekste Wicca kan. Ze is ook een goede heks, alleen niet vaak genoeg!

Ze stroopte haar mouwen op en veranderde alles in de Glitzeriakeuken in bruikbare ingrediënten!!!

Dit is de spreuk die ze daarvoor gebruikte:

VAN-KIKKERSNOT-TOT-VERHEKST-LEKKERE INGREDIËNTEN-TOVERSPREUK

zoals spontaan bedacht door Heksje Wirwar

De kasten vol met allerlei spullen
Maar niets om lekker van te smullen
Zelfs spruitjes smaken beter
Is dat spaghetti of toch een veter?
Voor de tong een kwelling, heus
En wat denk je van de neus?
Drakenslijm en Scheerjewegbramen
Zo'n kokkie zou zich moeten schamen
Hij bakt er niets van
Niets wat mijn kat niet beter kan
Daarom wil ik dat alles verdwijnt
En wat DR nodig heeft verschijnt
Welk gerecht hij ook gaat maken
Een ding is zeker; het zal smaken
Hij bedenkt, ik doe
Ik tover een, twee, drie, boe
Kikkersnot en slakkenslijm zijn verdwenen
EEN VERHEKST LEKKER GERECHT IS VERSCHENEN!

En daar was een provisiekast vol met alles wat een kok als ik maar kon wensen.

Ik schakelde over naar de wiedeweerga-versnelling om dat te doen wat HW had beloofd: beter koken dan de Andere Kant chefs.

Ik bond mijn schort voor, zette de muts op en ging aan het werk.

Ik bakte Wiccasoesjes gevuld met Kikkerdril in een Muizenstaartsausje en Kraaienogen met Knoflook in een Deegjasje, extra gebruind door een paar zonnestralen.

Toen kooktoverde ik een 'Eet je vingers er niet bij op'-pannenkoek met een overheerlijke 3S-siroop (slangenogen, salamanderslijm en sukkelsokken). Ik had die ooit eerder gebakken toen de Wicca's eens bij ons thuis kwamen nachtontbijten (ze vonden ze zelfs zo lekker dat ze me vergaven dat Wirwar in een **paarse** tutu met een **zilveren kroontje** op haar hoofd aan tafel kwam).

Toen ik klaar was met kooktoveren, deed HW de keukendeur open.

Alle gasten, kokers en meneer Wenkbrauw hadden aan de andere kant staan luistervinken. Ze rolden pardoes de keuken binnen.

HW hekste hen overeind en schoof ze zo de keuken weer uit, op de chefkok na.

Hij werd paddengroen toen hij zijn voorraadkast zag, maar hij zei geen woord. Hij proefde eerst de soesjes en toen de pannenkoek. Hé, zijn wenkbrauwen konden ook tegen het plafond vliegen!

Hij zei: 'Mmmm...'

En: 'Oh jaja, oh jaja, oh jaja,' en lepelde alles naar binnen. Zijn ogen draaiden dertien keer in het rond (dat gebeurt altijd als je dit eet) en begonnen zo te stralen dat de hele keuken verlicht werd. Dat kwam door mijn gekooktoverde gerechten!

'Dat zei ik toch!' zei HW. 'Wat heb ik gezegd?'

Hij haalde eens diep adem, EN TOEN KWAM HET ERGSTE VAN ALLEMAAL MAAR IK VERTEL HET TOCH MAAR: 'Mevrouw,' zei hij. 'Ik weet niet wie u bent en hoe u deze kat hebt leren koken, als het tenminste de kat was die dit kookte, wat ik betwijfel. Maar nu komt het. Ik heb een kookprogramma op tv, de KOKEN MET DE STERRENSHOW.
Te gast zijn beroemde chefkoks die dagelijkse gerechten op ons bord 'toveren'.

Wilt u met uw kat een gastoptreden
verzorgen in mijn show?'

Wirwar kijkt wanneer ze ook maar even kan naar de Andere Kantse tv. Dus bij het horen van de woorden beroemd, sterren, gastoptreden sloeg ze op heksentilt.

'JA! JA! JA! JA! JA!
JA! JA! JA! JA!
JA! JA!
JA!

Wanneer?'

Hij antwoordde: 'Morgen.' En dat is dus vandaag. Helaas!

Wordt vervolgd, de kikkers kwaken van de honger, als ik ze nu niet voer kwaken ze heel Oost-Kollendam wakker.

P.S.

Nu begrijp je ook waarom
ik de Andere Kantse tv die ik voor
middernacht bij de Wicca's heb
afgeleverd, niet hocus pocus wilde
aansluiten! Stel je eens voor wat er
gebeurt als ze hem aanzetten en Wirwars
gastoptreden zien in het programma
KOKEN MET DE STERREN. Ik weet wat
ze dan doen. Ze nemen het mij kwalijk
dat ik haar niet heb tegengehouden. Ze
sturen me zo naar de Buitenaardse
Wicca's op hun Raketpadden, je weet
wel, die uit mijn nachtmerrie.
Moet er niet aan denken. HELP!

'Wij zijn de sterrenkoks van de dag'-avond

Lief dagboek,
ALLEEN MAAR SLECHT NIEUWS!

1 Joop Draadnagel (zo heet de chef van de Glitzeria en DE ster van Koken met de Sterren, bleek) was zo blij met ons gastoptreden, dat hij ons vroeg regelmatig terug te komen. Regelmatig betekent in dit geval dagelijks.

2 De Geweldig Gewiekste Wicca's hebben zo'n negenendertig boodschappen gestuurd. Ik moet onmiddellijk naar hun Heksenkwartier komen en die dekselse Andere Kant tv aan de praat krijgen

OF...

Om je te laten zien dat ik niet overdrijf,
hier de 33ste boodschap:

Hogerop Heksenkwartier
Op de toppen van Oost-Kollendam
Een uur voor de duisternis invalt

Beste Deughniet Vloecksoecker enz.,

Goocheldoos, Kikkerspog, Rochelpot en
ik zitten uit ons neus te peuteren. We
kijken wel naar de Andere Kantse tv
maar zien alleen onszelf weerspiegeld
in het glas en verder niets.
We hadden jou opgedragen hocus pocus
zo'n ding waarmee je de Andere Kant
kunt zien te regelen. Dit is nu de
drieëndertigste waarschuwing dat als je
niet kattenrap hier komt, je een van je
negen levens op het spel zet!

JE BENT GEWAARSCHUWD!

Was getekend,

Opperheks Magia
(Madam)

SNAP JE NU WAT MIJN PROBLEEM IS,

dagboek?

Als ik Heksje Wirwar [1] laat doen, kan ik nooit [2] doen, namelijk de tv van de Wicca's aansluiten. En als ik [2] wil doen, kan HW nooit [1] doen, namelijk REGELMATIG OP DE BUIS VERSCHIJNEN IN DE KOKEN MET DE STERRENSHOW. Ik weet zeker dat de Wicca's haar dan zien en dat ik binnenkort ook op een raketpad rondvlieg. Of erger nog, terug moet naar Verweggistan om mijn lesje te leren.

Maar het ergste is dat zij Draadnagel al BELOOFD HEEFT TE KOMEN. Daarom kan ik NOOIT de 'Gluur naar de Andere Kant'-buis van de Wicca's aansluiten.

Dus... zet ik een van mijn negen levens

 OP HET SPEL.

Wat moet ik doen?
Ik ga eerst maar
eens rustig nadenken.
Rustig zou mooi zijn,
kan nu niet eens onrustig
nadenken!
Wat wil je ook!
Neem nou HW. Voor
haar optreden morgen
heeft Draadnagel
gevraagd of ze kan
laten zien hoe je
een lekker
gerecht voor

kinderen op tafel 'tovert'.
Nu staat ze al de hele middag te
toverkoken terwijl ze normaal
gesproken nog geen

spinnehei gaar krijgt!

Ik moest zelfs haar spiegel naar de keuken slepen, zodat ze kan zien hoe ze eruitziet bij het koken.

Bij elk recept trekt ze andere kleren aan. Ze praat tegen de spiegel als tegen 'darling Draadnagel', zoals ze hem noemt.

Tegen mij praat ze ook. Dingen als: 'Ik wil nooit meer iets anders, DR. Andere Kanters die voor me klappen en buigen. Ik krijg sterrenkleding, ze poederen mijn neus, ze filmen me en zenden dat nog uit ook!

Daar heb ik altijd van gedroomd.

Heks zijn is zo verkikkerd SAAI en GEEUWEND VERVELEND

Ik wil hier geen
seconde langer
blijven. Ik kan
er niet meer
tegen.

Waar ik heen ga?

Naar Gribus,
voor een portie gezond VERSTAND.

Lief dagboek,

Ik zei het al vaker. En ik zeg het nu weer, duizend keer als het moet. Gribus is niet voor niets mijn beste vriend. Hij is BETER DAN BEST.

Samen hebben we het antwoord gevonden op de 'hoe' in de vraag: 'Hoe houd ik Wirwar tegen te worden wat ze niet is, een beroemde Sterrentoverkoker die de Wicca's kunnen zien op tv? En hoe voorkom ik dat ik een van mijn negen levens verspeel?'

O nee! HW heeft zojuist een schaal vol helmkruid- en kattenstaarthapjes in levende muizen met twee staarten veranderd.

Ik moet snel ingrijpen. Ik vertel later wel over ons 'hoe' plan.

De dag gered door het onverwachte

Lief dagboek,
Het is ons gelukt.
Gribus en mij.

WEET JE HOE? ZO:

Met een vermomming (laat dat maar aan Gribus over) en twee grote boodschappenmanden.

En met heksje Onderdeur, de heks van Gribus.

Onderdeur is een Gewiekste Wicca

(Gribus heeft het maar goed getroffen).

Ze is zo gewiekst dat het me niets zou
verbazen als ze op een dag wordt verkozen tot
Geweldig Gewiekste Wicca. Zij oefent wel
iedere dag haar toverspreuken en andere
hekseritis. Soms overdrijft ze ook wel een
beetje, is ze net iets te hekserig.

Ze heeft dan ook geen goed woord over
voor Wirwar die niet wil heksen. Dat Gribus
met mij bevriend wil zijn, keurt ze helemaal
niet goed (misschien is ze bang dat niet
willen heksen besmettelijk is of zo).

Maar dankzij Gribus, die op het idee kwam, wisten we haar over te halen ons te helpen. Als Wirwar een beroemde Andere Kantse Sterrenkoker wordt, maakte ze niet alleen zichzelf te schande maar ook alle andere heksen.

Toen ze dat hoorde, wilde ze maar wat graag helpen! Wat heet: ze stond te TRAPPELEN!

We waren er klaar voor! Vanmorgen zijn we vroeg opgestaan. Gribus kwam hierheen. Hij was al vermomd, als een Andere Kantse tv-reporter!

Ik vulde een van de twee boodschappenmanden voor het kookprogramma met (door ons zorgvuldig uitgekozen) ingrediënten, in de andere mand verstopte ik Gribus. De twee manden zette ik op de achterbank van de auto.

Toen Wirwar eindelijk klaar was met aankleden, de keuze wat ze aan zou doen was blijkbaar erg moeilijk, vertrokken we in vliegende vaart.

Toen we bij de tv-studio aankwamen,
duwde ik HW een spiegel in haar handen. Ik zei
dat ze nog even haar make-up moest
controleren, zo leidde ik haar af.

Terwijl zij aan haar kapsel frummelde,
kroop Gribus stiekem uit zijn mand
en rende snel weg om ergens
een microfoon
en een camera
te 'lenen'.

Tegen de tijd dat Wirwar klaar was, was hij dat ook. Toen zij naar de artiesteningang liep, stapte hij op haar af.

'Sorry,' zei hij slijmerig met een verdraaide stem. 'Bent u de nieuwe Ster uit Koken met de Sterren?'

'Dat ben ik,' antwoordde HW. 'En ik ben fantastisch!'

'Dat klopt!' zei hij. 'Daarom zou ik u graag interviewen voor onze Milky Way-tv. U heeft al zo veel fans, ze zijn dol op u. Die wilt u toch niet teleurstellen?'

HW was gevleid, dat was te zien.

Ik zag haar denken,

Milky Way-tv?
Is dat een belangrijke zender?

Ze vertelde Gribus
dat ze 'op de set'
verwacht werd door
haar Darling
Draadnagel,
ze was al
laat.

Gribus verzekerde haar dat
Draadnagel wel wilde wachten
omdat hij maar al te goed wist dat ze
haar 'buitenaards grote publiek' niet kon
laten zitten.

Hij trok haar mee naar een hoekje van de
parkeergarage waar hij haar net zo lang zou
'interviewen' tot hij van mij het teken zou
krijgen dat hij kon stoppen.

Op dat moment, lief dagboek — en dit was
een briljant idee, al zeg ik het zelf — was het
de beurt aan heksje Onderdeur, vermomd als

Wirwar,
de ster van
KOKEN MET DE STERREN!

Ze vloog met haar bezemsteel tot
vlak bij de studiodeur, uit het zicht van
de parkeergarage.

Ik was haar met
mijn opklap-bezemsteel
tegemoet gevlogen en ook al
wist ik dat ze vermomd was,
ik viel toch bijna van
mijn bezem toen ik haar zag!

Dat was een verhekst goede spreuk die
Gribus en Onderdeur gebruikt hadden, zelfs ik
zou gedacht hebben dat dit Wirwar was, als ik
niet beter wist!

Draadnagel kon zeker het verschil niet zien!

Hij kwam kirrend op ons af en bracht ons
naar de schmink.

Daarna nam hij ons mee naar de keuken die geen echte keuken is (samen met onze mand met ingrediënten) om te beginnen met

'HOE TOVER JE IETS LEKKERS VOOR KINDEREN OP TAFEL!'

Zodra de camera begon te draaien, speelde Onderdeur haar rol van Wirwar alsof ze nog nooit iets anders had gedaan.

'Hallootjes allemaal!'

giechelde ze. 'Vandaag, Dondersdag, bestaat onze lunch uit: twee Paddenbammen, die ik al eerder klaarmaakte. Dank je, Tijger.'

Ik haalde ze uit onze mand.

'Kijk.' Ze hield ze recht voor de camera's.

'Gebruik altijd vers gesneden **slijmpadden.**

En als ik zeg vers, bedoel ik **vers.**'

Ze loeide als een **sirene.**

Draadnagel stotterde: 'Je maakt een grapje. Dat zijn boterhammen met plakjes... eh... avocado in de vorm van padden? Laat je ons nu zien hoe je die 'padden' hebt gesneden?'

'Ad-vo-ka-do
padden, maar niet heus!
Nee, echte padden,
vanwege de vitaminen!'
zei Onderdeur/Wirwar
met een stem die Wirwar ook
altijd gebruikt als ze volwassen
Andere Kanters toespreekt alsof
het kleuters zijn.
'En dan nu een extra portie
gezonde proteïnen voor die kleine
snotaapjes, die jullie kinderen
noemen. Een Snack van Spinnenbroedsel. Dank je, Tijger.'
(En ik gaf weer aan)
'Ik laat jullie zo zien hoe je dat gebroed uit
het ei pelt zonder ze te pletten en
zonder tijd te verspillen met wachten
tot ze er zelf uit komen kruipen.

En tenslotte een caloriebom – die snotapen zijn immers de hele dag in de weer en kunnen wel wat extra energie gebruiken – mijn lievelingsrecept: Pannenkoeken met Oude Wespennesten gevuld met Gestampte Kakkerlakken. Gebruik wel vliegende kakkerlakken, de gewone zijn taai...'

Dit was het moment waarop Draadnagel flauw viel,

BOEM, tegen de vlakte!

De levende padden wisten te ontsnappen. Het spinnenbroedsel ging ervandoor, en de vliegende kakkerlakken vlogen weg.

De man van het klapbordje klapte met het bordje en riep 'Stop!' (en nog meer dingen, maar die verstond ik gelukkig niet).

De camera's stopten.

En Onderdeurtje/
Wirwar beende de
'keuken' uit.

   Ik juichte, stilletjes,
van binnen.

'HET IS ONS GELUKT!'

Draadnagel vraagt vast nooit meer of
Wirwar nog eens iets lekkers op tafel
komt 'toveren'.

   Opeens was mijn juich-bui over.

WAT WAS DAT?

Gribus was er dus niet in
geslaagd HW nog langer tegen
haar niet bestaande 'buitenaards
veel fans' te laten praten.
Daar kwam,

geheel onverwachts,

DE ECHTE Wirwar
binnen en zei:

'Hallo
schatjes!'

Tegen wie? Tegen zichzelf
(namelijk Onderdeur
die op weg was naar buiten)

Eventjes was ik bang dat ons plan
magisch mislukt was. Dat Onderdeur
ontmaskerd zou worden. Dat ze haar
zouden verjagen, omdat ze deed alsof
ze Wirwar was, en dan de
echte Wirwar weer
zouden laten
toverkoken.

Dan was
alles voor
niets geweest!

Maar gelukkig, geen reden voor paniek.
HW wierp een blik op Onderdeur, op Wirwar
die Wirwar niet was, en dacht dat ze een
concurrente was. Dat ze haar rol in de

KOKEN MET DE STERRENSHOW

wilde inpikken!

Ik heb nog nooit zo'n heks van een
heks gezien. Ze vuurde donder en
bliksem met handen en ogen. Alles in de
studio, camera's, cameramannen, licht,
regisseurs, de stop-roeper, de assistent van
de stop-roeper,

ALLES SISTE EN FLITSTE.

EEN GROTE ROOKWOLK EN POEF.

En in die grote rookwolk
maakte Wirwar die Wirwar niet
was, Onderdeur dus, dat ze
wegkwam.

Ongemerkt

en

ongezien.

Toen Draadnagel bijkwam en zijn ogen opende, was alleen Wirwar er. Hij zag haar en gaf haar de schuld. 'Ik had het kunnen weten,' mopperde hij. 'Je bent een heks van een heks, dat zijn dus twee heksen. SCHEER JE WEG UIT MIJN KEUKEN!'

Terwijl hij weer terugviel in zijn flauwte, sleepte de stop-roeper, zwartgeblakerd door de bliksem, Wirwar naar de buitendeur.

'BLIJF UIT DE BUURT VAN DE STUDIO, HEKS VAN EEN HEKS.
ALLEBEI!'

En dat was dat. Althans bijna.

Terug in de parkeergarage wilde Wirwar haar concurrente het liefst veranderen in een Ander Kantse kroket en haar dan laten verdrinken in een berg mosterd.

Maar gelukkig wist ze niet wie haar
concurrente was of waar ze haar kon vinden.
(Intussen was Onderdeur allang
weer Onderdeur en weggevlogen
met Gribus.)

Dus gooide Wirwar de spiegel die ik haar eerder had gegeven aan diggelen, zogenaamd omdat 'scherven geluk brengen'.

Ze kroop achter het stuur, draaide zich naar mij om en zei minachtend: 'Nou ja, wie wil er nou in zo'n ondermaats kookprogramma optreden, met een chefkoker die nota bene Draadnagel heet. Die bovendien geen kikkerkwijl van salamanderslijm kan onderscheiden? Ikke niet, mij niet gezien. Kom op, laten we naar huis gaan, dan kun je een likkebaard gerecht voor me koken. Pannenkoek met 3S-stroop, JAMMIE!'

En dat deed ik. En al zeg ik het zelf, ze waren heerlijk!

Daarna ben ik naar het Hogerop Heksenkwartier gevlogen en heb hocus pocus de tv aangesloten. Het gevaar was geweken, Wirwar was uitgekookt.

In ieder geval voorlopig!

WAT EEN HEKS TOT EEN ECHTE HEKS MAAKT - LIJST

1. Tover minstens een Andere Kants kind om in een kikker – iedere dag (uitmuntend), eens per zeven dagen (goed), eens per maan (gemiddeld), eens per twee manen (slecht), een doodenkele keer (onvoldoende).

2. Speur volwassen Andere Kanters op die als kind nooit in een kikker werden omgetoverd en doe het alsnog. (Beter laat dan NOOIT)

3. Bedenk een nieuwe toverspreuk die altijd voor van alles en nog wat goed is. Zorg ervoor dat jij of jouw heksenhulp die noteert in een Toverspreukenboek voordat de spreuk verdwijnt naar het Rijk van de Eeuwige Vergetelheid.

4. Zorg voor een Heuse Heksen Huishouding, dat wil zeggen: overal spinnen, spinrag en stof. Het liefst hier en daar een paar loslopende oorwormen. De glazen potten met vaak nog levende 'toverspreukingrediënten' moeten altijd goed gevuld zijn, klaar voor gebruik.

5. Kakel je heksenlach vooral luid en duidelijk, en zo mogelijk altijd en overal. Heksenlachen, kako-kakelen, jaag Andere Kanters schrik aan, hihihi. Heksenlachen, kako-kakelen laat andere Wicca's weten waar je bent.

6. Zorg er voor dat je heksenhulp je wagenpark (lees bezems) goed verzorgt door ze regelmatig te snoeien en uit te laten (een paar rondjes vliegen per dag moet genoeg zijn).

7. Vertoon je altijd en overal in je complete heksenuitmonstering (alles zwart en nooit, maar dan ook NOOIT lintjes en strikjes). Slapen in heksenkostuum is toegestaan om zo aankleedtijd te winnen.

8. Zorg ervoor dat je Heksenhulp zoveel Slijmballen te eten heeft als hij op kan. Vergeet niet: achter elke Gewiekste Wicca staat een weldoorvoede Heksenhulp.

9. Zorg vooral dat de Geweldig Gewiekste Wicca's tevreden zijn over jouw gedrag. Je weet het, ze zien en weten alles, dus pas goed op met wat je doet of laat!

HEKSENHULP CONTRACT

tussen:

Heks **Wironi Warwara**, kortweg Heksje Wirwar, H.W. op zijn allerkortst

van 13 Schoorstenen, Oost-Kollendam

&

Heksenhulp

Deughniet Vloecksoecker Ramses R., kortweg Deughniet, D.R. op

zijn allerkortst

Hierbij wordt overeengekomen dat:

Al dampt het **VUUR**, de **ZWAVEL** of de **HEKSENKETEL**,

al komt een leger **MARSHEKSEN** onze dampkring binnenvallen,

DE VOLGENDE 7 JAAR zal

D.R. het hulpje zijn van H.W.

ELKE GRIL EN ELK BEVEL van haar opvolgen

en haar als een echte **HEKS** laten **HEKSEN**

BELONING voor bewezen diensten:

* een mand om in te slapen * zoveel slijmballen als hij op kan

* vrij gebruik van H.W.'s bezemsteel (buiten spits-vlieguren)

en een gebroken spiegel voor geluk.

De **STRAF** voor het niet voldoen aan alle gestelde eisen zal worden vastgesteld

tijdens **DE HEKSENKRING** van **HOGEROP**.

GETEKEND EN VASTGELEGD,

Nieuwe Maandag, de 22^e van Heksember

Wirwar

Heksje Wironi Warwara

Deughniet

Deughniet Vloecksoecker Ramses R.

Toos Goocheldoos

Getuige: de Geweldig Gewiekste Wicca, Toos Goocheldoos

Een uitgave van
Uitgeverij Randazzo & Bannier B.V.,
Ootmarsum, en Uitgeverij Bakermat
(Baeckens Books NV), Mechelen

ISBN 978 90 8919 007 9   NUR 282
ISBN 978 90 5461 596 5   D/2008/6186/18

Oorsponkelijke uitgave:
Orchard Books, Londen, Engeland
Oorspronkelijke titel: Rumblewick's Diary
My Unwilling Witch gets cooking
© 2007 tekst Hiawyn Oram
© 2007 illustraties Sarah Warburton
© 2008 Nederlandse vertaling
Uitgeverij Randazzo & Bannier B.V.

Gedrukt in China
Opmaak: Sandra Kok, Amsterdam

Voor Catherine C,
for being
supernova
H.O.

Voor Beatrice
S.W.

Dit is een van de dagboeken van mijn heksenhulp,
Deughniet. Hij heeft er een heleboel geschreven. En ja, die
heb ik allemaal gestolen en aan een uitgever gegeven. Zodat
zij er mooie, en vooral ook leuke, leesboekjes van kon maken.
Bij deze serie hoort ook een groot boek met heel veel
plaatjes. Daarin staan de brieven die Deughniet en zijn oom
Peleus aan elkaar hebben geschreven. Deughniet vraagt hem
om raad: het is blijkbaar niet makkelijk om mijn heksenhulp
te zijn... ik ben wel een heks, maar wil eigenlijk helemaal
niet heksen. Ballet, dat wil ik graag! Of een meidengroep
beginnen, ja!

Misschien heb je nog maar net leren lezen of zijn er niet zo
veel boekjes die je leuk vindt, omdat er alleen maar saaie
zwarte lettertjes in staan. Nou, deze dagboeken zijn gewoon
heel leuk en er staan ook nog eens heel veel tekeningen in.
Dus je zult ze ALLEMAAL vast met veel plezier lezen.

Klapzoen, *Heksje Wirwar*

ISBN NL 978 90 8919 009 3
ISBN BE 978 90 5461 598 9

ISBN NL 978 90 8919 007 9
ISBN BE 978 90 5461 596 5

ISBN NL 978 90 8919 005 5
ISBN BE 978 90 5461 588 0

ISBN NL 978 90 8919 008 6
ISBN BE 978 90 5461 603 0

ISBN NL 978 90 8919 006 2
ISBN BE 978 90 5461 600 9

Drakenmoeras

Drakenhol

De Bijna Mis

Achter Kollendam

Andere Kant

kruidenwinkel

Kollendam